나름
알게되는
법

저자 도아 (濤芽)

　따뜻한 바람이 부는 7월, 제주에서 태어나 사는 제주맘 도아입니다. 제주 사람과 결혼한 후 전업주부로 세 아이를 키우며 제주에서 살고 있어요. 결혼 후 바로 시어머니와 좁은 공간에서 시댁에서 살다 보니 신혼 생활을 누리지 못했지요. 변화된 환경에 민감해서일까요. 저는 아이를 늦게 갖게 되었어요. 5년 후 아이를 낳고도 예상치 못한 갈등으로 십 년이 넘는 기간을 힘겹게 보내며 많이 지쳤었죠... 현재는 다양한 사람들을 만나며 치유를 위한 활동을 하고 있어요.

　그 과정에서 알게 된 건 세상에는 제가 겪는 것과 비슷한 상황, 더 큰 상처를 가진 분들이 많다는 것이었어요. 이 책을 통해 제 경험과 이야기를 나누고 좌충우돌은 하지만 따뜻한 제 육아 일상을 용기 내어 함께 공유 해보고자 합니다.

나름
알게되는
법

도아
濤芽

이 책은 우리 가족들의 다양한 일상 이야기를 담고 있습니다.

여러 이야기를 통해 엄마에게는 사소한 일상이 아이들에게 얼마나 큰 의미를 갖는지 알게 됩니다.

첫째 사춘기 소녀의 이야기에서는 부모와의 소통 문제와 성장 과정을, 일상의 소소한 순간들에서는 가족과의 소중한 시간과 연결을 발견할 것입니다. 또한, 어려움과 갈등 속에서 성장하고 변화하는 모습을 담은 이야기들을 통해 육아의 현실적인 방법들을 알 수 있는 시간이 될 것입니다.

좌충우돌 제주맘 도아의 육아 여정을 통해 가족 간의 관계와 소통의 중요성을 함께 하는 시간 되시기 바랍니다.

서문

"여보, 당신 정신병원 상담을 받는 게 어때?"... 남편이 어느 날 내게 말했다.

결혼 후 180도 달라진 나의 일상은 하루를 거듭해갈수록 나를 달라지게 했다.

미칠 것 같았다. 그리고 남을 생각할 여유가 없었다. 직장을 그만두고 난 더욱 달라졌다. 부정적으로 변해가는 나.

어느 날 엄마에게 "엄마, 나 결혼 생활이 너무 어색하고 힘들어..."하고 말하니 엄마는" 다 안다.. 그럴 때는 장독대 안에 너의 온 마음을 다해 욕을 해봐.. 그러면 속이 후련해질 거야..."

할머니 두 분의 병수발, 사람들의 모진 말들과 아이들 뒷바라지에 직장일까지 엄마는 그 모진 세월들을 어떻게 살아오셨을까?

엄마와는 다르게 살 수 있겠지? 라는 생각은 결혼 후 몇 달이 안 가서 알게 되었다.

어리석었던 나... 누군가 말했던가,"너도 한번 살아봐라. 겪어보면 다 알게 된다."

결혼 전까지만 해도 모든 일상은 내 중심으로 흘러갔다. 고민되는 일은 안 하면 그만이었다. 하지만 결혼 후 생기는 고민들은 계속적으로 쌓여만 갔다. 난 무너지고 있었다.

나름 열심히 써 내려간 나의 이야기...
부끄럽지만 용기내봅니다.
좌충우돌 제주맘 도아의 성장 여정~!

'나름 알게 되는 법'
함께 해주셔서 감사합니다.

차
례

나는 나에게 기대하지 않았다. 하지만...

넘어져도
괜찮아

도아

나는 그냥 일을 하는 편이다. 어릴 적부터 엄마의 심부름으로 난 만능 일꾼의 능력을 얻었다. 잘 하건 못 하건 힘들어도 그냥 열심히 일을 한다. 그래서 동네 경조사에 가서도 할 일을 찾아 잘 하는 편이라 장례식 진행하는 직원으로부터 "일의 속도가 전광석화 같다"라는 칭찬(?)을 받았다. 하지만 엄마에게는 왜 직원들이 할 일을 내가 일을 하고 있느냐며 혼이 났다.

결혼 후 일 잘 한다고 칭찬받던 나는 점점 작아지고 있는 기분이 들었다. 실제로는 연애 결혼을 하긴 했지만 좁은 집, 편찮으신 시어머니, 그리고 결혼하지 않은 시아주버님까지 함께 살아야 한다는 사실을 알면서도 남편이 좋아서 결혼 했다.

모든 걸 잘 해낼 줄 알았다. 그리고 남편에게 내심 기대했다. 도와줄 것이라고... 하지만 현실은 대환장 이었다. 모든 것이 맞지 않았다. 나이 드신 어머니는 저혈당으로 언제 쓰러지실지 모르는데 밭일만 가셨다. 하루는 직장에서 퇴근 무렵 왠지 불길한 느낌이 들어 부랴부랴 집으로 돌아갔더니 어머니께서 저혈당으로 쓰러져 돌아가시기 일보직전 이었다. 119를 부르고 응급처치를 하고 생명을 구했다. 이런 상황이 나에게는 10년 정도 반복적으로 일어났다. 거기다 육아, 제사, 묘제, 과수원일...

시댁 사람들은 나의 힘든상황을 아는지 모르는지 따뜻한 말 한마디 들어본 적 없다.   기대했던 남편은 중간 입장에서 곤란해 하는 것 같았다. 내 편을 들어주고 싶어도 아들 4형제 중 막내여서 선뜻 나서지도 못했다. 남편과 다투기도 많이 했고 그럴때 마다 불편한 관계는 서로를 힘들게 했다.

어머니는 나와 10년을 함께 살다 첫째가 일곱 살이 되던 해 돌아가셨다.

가시고 나니 아쉬움과 그리움만 남았다.

어머니께서 돌아가신 후 나를 돌보는 시간이 되었다. 나에게 남은 것은 위장병과 낮아진 자존감이었다.

심리 상담도 받고 병원도 일년 남짓 다녔다. 조금씩 마음의 여유가 생겼다. 남은 인생을 잘 살아보고 싶다는 기분이 든다.

지금 이 순간에 최선을 다하자!

내 말을 끊지 마세요!

중학생이 된 첫째, 작년부터 엄마에게 불평불만이 늘어나는 것 같더니 '사춘기' 고질병이 찾아온 모양이다. 엄마의 말은 곧 불통이 된다는 느낌이 드는 것 같다며 "엄마, 엄마는 왜 내 말을 자꾸 끊어요!" 하며 짜증을 낸다. 왜 아이들과 이야기를 길게 못하는 걸까? 아이들과의 문제가 생길 때마다 난 속이 상해진다. 문제를 더 크게 하고 만들고 싶지 않다. 그래서 난 나에게 물어 본다. '어떻게 해야 할까? , 왜 그럴까?...' 계속 반복해서 물어본다.

 그러다 보면 나의 부모님, 나의 어릴 적의 기억이 올라온다. 항상 바쁜 엄마에게 내 고민이나 요구를 말하려고 하면 "바쁘니까 나중에! 시끄럽다!"하며 나를 혼내셨던 아픈 기억들이 떠오른다. 그래서 나에게 반항하는 첫째에게 더욱 화가 나는 걸까? ...

 첫째가 태어났을 때 난 좋은 엄마가 되고 싶었다. 하지만 남들이 생각하는 좋은 엄마가 되기가 이렇게 어려울 줄 몰랐다. 세 아이들을 키우며 아이들에게 문제가 생길때마다 내가 쌓은 지식, 경력, 재능들이 아무것도 아니라는 생각이 들었다. 하지만 키우다 보니 별의별 일이 생기다 보니 육아의 고수, 육아 참고서는 다 필요 없고 내가 중심을 잡고 우리 아이들에게 맞춘 엄마, 부모가 되는 게 제일 편하고 좋을 것 같은 소소한 깨달음이 들었다. 난 지금도 엄마로서, 한 여자로서 성장 중이

다! 첫째야, 나와 함께 가자꾸나! 그리고 엄마의 소소한 깨달음 이야

기를 함께 나누어보자! 사랑해! 첫째야~

가려운 아이

첫째의 아토피는 유아기부터 시작됐다.

원인은 알 수 없지만 예방접종이후 심해졌다는 생각이 든다. 아이는 밤마다 가려움에 힘들했고 너무 많이 긁어서 상처가 많이 생겼다. 아토피를 가진 엄마들에게 공통적으로 나타나는 현상은 수면 부족이다. 아이와 함밤새 가려움을 멈추게 하기 위해 모든 방법을 동원한다.

난 이외에도 주변에서 권유하는 민간요법도 다양하게 해봤다. 가려움을 완화시키는 약, 연고, 편백수, 쑥, 탈(뱀딸기)등을 사용했으며, 상처가 심해지면 농가진이 되니 항생제를 먹고 상처를 긁지 못하도록 반창고로 칭칭 감아(놓아)야 했다. 아이는 너무 힘들어 했다. 현재 중학교 1학년이 되었지만 아직도 가려움으로 인해 밤잠을 설친다. 아토피는 아기 때 잡아야 한다고 하지만 아이가 커지면서 제 통제권 밖의 일들이 더 많아졌다. 친구들과 놀러다니고 싶고, 밤에 긁는 것을 못하게 하면 힘겨운 싸움을 벌이는데, 이로 인해 나도 치쳐 버린다.

그런데 신기한 것은 엄마가 지치더라도 꾸준한 관심이 중요하다는 것이다. 만약 엄마가 관심을 안가지면 아토피는 더 심해진다.. 엄마가 관심을 보여주지 않으면 아토피가 더 심해질 수 있다는 사실이다.

그래서 나는 아토피는 사랑을 받고 싶어하는 아이의 욕구가 원인일 수 있다고 생각한다. 그래도 고마운 점은 아이는 잘 크고 자라고 있다는 것이다. 사춘기라 조금 예민한 것을 제외하면은…

내가 잘 할수 있는 것

요즘에 나는 초등학교 아이들을 돌보는 일을 하고 있다. 아이들이 점점 커가니 조금씩 여유가 생기고 있다. 오늘은 아이들과 할리갈리 게임을 했다. 게임을 시작하기 전에 아이들의 모습은 다양하다. "뭔가.. 선생님이 정말 잘 할 것 같애.. 선생님이 정말 잘 할 것 같아요"하며 긴장하는 아이도 있었고, "내가 우리 반에서 제일 잘해!" 하며 도전하는 아이도 있었다. 몇몇의 아이들과 게임을 하면서 나는 어떤 모습을 보였을까? 아이들과 똑같아지는 나, 질때는 살짝 자존심이 상하고 이길 때는 소리를 지른다 환호성을 질렀다. 하지만 어른이니 반칙은 사용하지 않았다. 돌이켜보니 웃기고 재미있었다. 집에 와서 둘째와 다시 할리갈리와 오목을 했다. 둘째는 정말 자기 맘대로다.

중간에 게임을 중단하자고 선언했더니 그러지 않겠다며 다시 하자고 했다. 둘째는 아홉 살이다. 세 아이의 양육과 집안일로 인해 둘째와 이렇게 놀아본 건 손에 꼽을 정도다.

엄마와 함께 웃으며 게임을 하는 아이를 보니 행복했다. 행복하다...

이렇게 놀면 되는 것을 잘 할 수 있는 것을.. 잠자리가 다가오면 셋째가 나를 찾는다. 갑자기"내 맘도 모르면서..." 라고 말했다. 막내가 제일 어렵다. 언제쯤 클까?

산다는 건..

　　첫째가 학교에서 돌아와 기분이 안 좋았던 이야기를 했다. 오래전부터 가까운 친구에게 학교 수련회에서 찍은 사진을 보여줬더니 갑자기 첫째 아이의 담임 선생님에게 인성수련 때 핸드폰을 쓰는 규칙을 어겼으니 말하겠다고 했다고 한다. 아이가 느낀 안 좋은 감정들에 대해 공감을 해주다 보니 나의 기억들이 떠올랐다.

　　중학교 1학시절.. 난 친구 한 명만을 좋아했다. 그런데 방학이 지나자 내가 좋아했던친구가 나를 모른 척하고 다른 친구와 다니기 시작했다. 내 마음이 좁았던 걸까? 난 상처받았다. 그리고 친구에게 쪽지를 썼다. 나를 모른 척하고 다른 친구와 다녀서 기분이 매우 안 좋았고 아마 지금쯤 난 이 세상에 없을거야...라고 쪽지를 전했다.

　　난 학교 울타리 너머 과수원이 보이는 언덕으로 갔다. 어린 마음에

과수원으로 뛰어내리고 싶었다. 하지만 아래를 보니 … 이런 내가 한심해졌다.

죽음 앞에서의 깨달음을 얻고 교실로 들어왔다. 그 친구가 다가왔다. "어디 갔었어? 찾았는데…" 난 아무말도 하지 않았다. 그리고는 그 친구와는 더 이상 함께 다니지도 않았다.

지금 생각하면 내 행동이 우습기만 하다.

성인이 된 지금의 난 다양한 봉사활동, 마을일 등을 하며 다양한 사람을 만나고 있다. 나와 맞는 사람, 안 맞는 사람이 있다. 맞는 사람은 소수이지만 그들이 있어 살 맛이 난다. 갑자기 여행스케치 노래가 생각난다.

'산다는 건 그런게 아니겠니 ♪ ♬

원하는 대로만 살 수는 없지만~ ♪'

토닥 토닥

" 엄마! 쭈쭈!, 엄마! 쭈쭈! "

일곱 살 막내가 아침에 일어날 때 엄마가 곁에 없으면 하는 말이다.

아직도 엄마의 가슴을 만지고 잔다.

하지 말라고, 아프다고 해도 막무가내다.

만약 못 하게 하면 똥고집은 가관이다.

막내가 발악하는 행동이 일어날 때 우선 그 행동을 통해 다른 사람이 다치고 있다고 얘기해준다. - 막내가 세 살 때 나는 아이의 발길질에 턱을 맞았다. 그 후유증으로 신경을 많이 쓰는 날은 턱이 틀어지고 아프다. 그러면 소염제를 먹고 자가 마사지, 조절을 며칠간 한다. 심했을 때는 아픈 증상이 6개월을 간다-말이 안 통할 때는 엉덩이를 몇 번 때린다. 발악은 더 심해진다.

하지만 친절하게 미안하다고 얘기할 때까지 계속하겠다고 한다. 내가 왜 사과를 하지? 내가 무슨 잘못을 한 거지? ...

셋째는 마흔에 낳았다. 내가 이 아이를 낳은 게 죄인가?... 별생각이 다 든다. 막내와 거친 실랑이 끝에 겨우 정리를 했다.

"엄마가 원하는 대로 안 해줘서 많이 속상했지?", 아이의 대답 "응"

아이는 내 품에서 엉엉 운다. 토닥토닥..

이렇게 정리된 날은 그나마 다행인 날...

잘 해준 나를 토닥여 본다.

일 좀 그만해...

삼년전 허리가 골절되었던 우리 엄마..

내가 20대 초반만 해도 엄마의 키는 157cm 였다. 내 키보다 4cm가 컸다. 하지만 나이가 들면서 키는 엄마의 키는 줄어들더니 급기야 지금은 150cm까 될까 말까이다.

내가 어릴 적 엄마는 나를 바라보며 조금만 더 컸으면.. 하고 나의 양 어깨를 잡고 쭉쭉 올리셨다. 엄마의 바람만큼 나의 키는 커지지 않았다.

하지만 지금은 내 키보다 작아지셨다.

고생의 흔적 때문일까.. 일흔셋이 되신 엄마는 여기저기 아프시다.

며칠 전 엄마는 '벌어놓은 돈을 병원비로 다 쓰면 죽는 것 같더라...' 하며 조용히 한숨을 쉬셨다. 나의 슈퍼우먼 우리 엄마...

나에게 세상의 따뜻함을 처음 가르쳐주신 우리 엄마, 앞으로 또 한 번의 수술이 있다며 연락오셨다. 이번에는 장이 안 좋으셔서 하는 수술이다.

더 이상 아프지 않으셨으면 좋겠다.

엄마... 아프지 마세요.

미안해 라는 말 대신

일곱 살인 막내 연이는 아침에 일어나라고 하면 하는 말이 있다.

"엄마, 엄마가 나 혼냈으니까 미안하다고 해야 일어날 거야! "

황당해서 "왜? 엄마가 널 깨운 게 잘못이야? "아이는 무조건이다.

"미안하다고 해!"그리고 나와 막내의 전쟁시작... 연이의 이런 행동은 한 달동안 수시로 나타났고 이런 행동을 수정해 보려고 별 짓을 다른 방법을 시도해 봤다.

난 지쳐갔다. 그래서 이번에는 다르게 대해줬다."연이, 엄마가 아무 잘못도 없는데 미안하다고 하지 않을 거야. 대신 사랑한다고 해줄게!" 뭔가 앞뒤 없는 내용이었지만 연이에게는 통했나 보다.

연이는 바로 "좋아!" 한다. 이렇게 평화협정이 이루어지고 보니 연이는 그동안 엄마의 사랑 표현이 그리웠나 보다.

사람의 속마음을 헤아리는 것... 아이들과의 소통 문제를 해결하며 하나씩 하나씩 알게된다. 연이는 지금 조금씩 변화되고 있다.

시간이 걸리지만 자신의 할 일을 해내려 노력하고 있다. 연이의 일을 스스로 하고 있을 때 엄마는 꼭 칭찬해 주어야 한다.

"아우~ 우리 연이 너무 잘하네~! 스스로 옷

입기를 어쩜 이렇게 잘해~ "

연이는 싱글벙글, 엄마는 빨리 안 하는 연이에게 부글부글 거리지만

이 마음을 절대 들키면 안된다. 함께 방글방글 웃는 모습 유지한다.

"연이야~ 사랑해!~ 사랑해!"

눈물의 여왕

난 연기를 잘하는 배우가 나오는 드라마를 좋아한다. 올해는 남궁민 씨와 김수현 씨를 꼽는다. 최근에는 김수현 씨가 나오는 드라마 '눈물의 여왕'... 어쩜 우는 연기를 잘하는 건지 박수가 절로 나온다.

우리 둘째 현이도 잘 운다.

내 기준에서 우는 이유는 사소하기만 하다.

하지만 현이 기준은 다르다.

자신에게 말을 예쁘게 안 해 주는 사람을 만났을 때 자신이 슬픈데 앞에서 함부로 말하는 사람이 있으면 소리 지르며 운다.

그리고 아침부터 잘 운다.

눈이 부어서이다. 그리고 학교도 가기 싫다고 한다. 요즘 따라 눈이 잘 붓는 현이가 걱정스럽기는 하다. 냉찜질을 해줘도 가라앉지 않는

눈은 학교에서 놀다 오면 가라앉는다.

현이의 치유 방법 잘 노는 것, 잘 들어주는 것...

내가 좋아하는 드라마를 정규방송 시간대 제대로 보려면 아이들이 재워야 하는데 아이들이 잠을 안 잔다. 으이구 이럴 땐 재방송으로 마음을 달래본다.

낯선 만남의 시작

결혼하고 난 시댁 얘기만 나오면 한숨으로 시작하고 한숨으로 끝났다. 무모한 도전이라고 하기에는 결혼이라는 것은 큰 책임감이 따르는 것을 몰랐던가…

허름하고 좁았던 백 년이 넘은 집이라고 한다. 그나마 개량을 해서 살긴 한다고 했지만, 목욕탕 하나 제대로 된 게 없었고 화장실도 마당에서 멀리 떨어진 곳에 가야 볼 수 있었다. 방은 3개, 어머니 방은 제사 방인데 문이 닫히지 않았다. 거기다 설상가상 육지에서 일을 그만두신 아주버님까지 와서 함께 살게 되었다.

네 식구, 난 신혼의 시작을 이렇게 했다.

어머니는 한 달간이었나(?) 나를 새아기라고 불렀다. 나중에 알게 된 사실이지만 이 단어는 어머니가 아는 가장 고급스러운 단어였다.

60대이셨던 어머니는 장신이셨다. 돌아가신 시아버지와의 사진을 보니 아버지보다 크셨다. 두 분의 유전자 덕분에 남편도 키가 무척 크다. 나와 무려 20센티 이상의 차이 어머니는 보통 성인 남자의 체격보다 좋으셨다. 하지만 어릴 적부터 형편상 배움의 기회를 놓치고 고생만 하셔서 자신에게 남은 건 당뇨로 인한 합병증뿐이었다.

모진 세월을 살아오신 어머니는 네 명의 아들 중 막내의 결혼으로 '나'를 만났다.

구식과 신식

신혼이었지만 부부간의 갈등보다 고부의 갈등이 더 심했다. 이래서 시댁에서 산다는 게 힘들다 힘들다 하나보다.

나와 어머니는 달랐다. 서로 살아온 환경이 어떤지, 서로 무엇을 좋아하는지... 난 어색하고 낯설었다. 어머니도 그러셨을 것이다. 남편의 중재는 없었다. 무관심과 표정 없는 말투들... 지금 생각하면 그것이 배려였다. 하지만 난 너무 외로웠고 힘들다는 생각으로만 가득했다. 그리고 예민해졌다.

아들이 넷이나 있었지만 어머니는 편찮으신 몸으로 매년 열두 번 이상의 제사와 명절을 손수 하셨다. 같이 사는 죄...

나는 어머니의 손과 발이 되어드렸다. 어머가 송편을 빚으시면 나는 삶아냈다. 전 재료를 자르시면 난 전을 부쳤다.

합제를 안 하다 보니 종류는 별로 없었지만, 양은 정말 많았다.

냉장고의 냉동실은 제사음식으로 365일 가득했다. 냉동실에 들어간 음식들은 냉장고 정리할 때 제일 많이 버려졌다. 하지만 버리는걸 싫어하시는 어머니의 눈을 피해야 해서 버리는 일도 쉽지 않았다.

어머니와 나이차이, 세대차이는 좁혀지지 않았다. 구식과 신식... 처음에는 요즘 정리 전문가의 정보를 무시하는 어머니를 원망했다. 어머니가 돌아가신 후 난 요즘 하루가 다르게 쏟아지는 다양한 신식의 정보들을 접할 때마다 모두 따라가기는 정말 힘들구나.. 라는 생각이 들었다.

가끔은 구식으로 사는게 편할 것 같다는 생각도 든다. 함께 나들이를 가자고 하면 밭에 가야 한다며 거절하셨던 어머니, 미용실에 같이 가서 머리를 예쁘게 해보자고 했더니 안한다고 고집을 부리셨던 어머니... 하지만 그 고집은 오래가지 않으셨다.

몸이 괜찮으신 날은 미용실도 가셨고 휠체어를 타고 나들이를 함께 가기도 했다.

사는 방식의 차이.. 지금 생각해보면 내가 좀더 현명하고 지혜롭게 해결을 했으면 어땠을까? 하는 아쉬움이 남는다.

어머니와 사는 동안 갈등만 있었던 건 아니다. 밭을 잘 일구시는 어머니는 내가 좋아하는 딸기를 심어 주시기도 하고 첫째의 아토피 피부염을 위해 여러 가지 식물도 심어놓으셨다. 그리고 나중에 알게 된 사실이지만 결혼 후 5년 동안 아이가 생기지 않아 걱정이 되셨던지 불임에 좋은 하얀 접시꽃도 화단에 심어 놓으셨다.

매년 6월초가 되면 우리집 화단에는 하얀 접시꽃들이 춤을 추고 있다. 춤추는 접시꽃들은 이렇게 말하는 것 같다.

"함께 해서 행복했어~ 고마워~"

어머니가 돌아가시고 일주일이 지난후 어머니는 나의 꿈에 세 번을 나오셨다. 갈수록 얼굴이 고와지셨다.

말은 없으셨지만 어머니의 마음은 전해지는 것 같았다.

"새아가, 그동안 나랑 사느라 고생했어. 행복하게 잘 살아라... 고맙다"라고...

어머니... 잘 지내고 계신가요?

철없던 저를 용서해주시고 우리 가족 더욱 행복하게 잘 살 수 있도록 도와주세요.

어머니... 고맙습니다.

4.3 공원

제주에는 4.3 기념 공원이 있다. 매년 4월3일 억울하게 돌아가신 4.3사건의 영혼들을 기리는 추념식도 이루어진다. 4.3사건에 관심을 가지게 된 계기는 결혼 후 시어머니와 4월 3일 추념식이면 함께 4.3 공원을 간 적이 있다.

4.3 공원에서 어머니는 비석을 부여잡으며 서글피 우셨다. 어머니의 우는 모습은 처음이었다. 나중에 알게 된 사실이지만 어머니의 외가 쪽은 4.3사건으로 인해 일가족이 5명이 돌아가실 만큼 피해가 컸었다.

어머니는 4.3으로 인해 의지할 곳이 없어 일곱살 때부터 공사장에서 일을 해야 했다고 하셨다. 어머니가 계셨지만, 어머니는 일찍부터 분가하셨다고 한다.

어머니는 몰랐다. 화목한 가정의 모습, 가족과 대화하는 방법, 새로운 사람과 함께하는 방법들 모든게 서툴렀던 이유를 나 또한 몰랐다. 어머니가 자라온 환경과 그로 인한 상처들을... 늘 어머니와는 안 맞는다는 생각으로만 부딪히기만 했다.

하지만 사는 동네가 오라리 방화사건이 발생했던 곳이라 4.3 사건의 이야기를 접할 수 있는 시간이 마련된 적이 있는데 이때 어머니의 아픔과 직면하게 되었다.

그로 인해 어머니의 깊은 슬픔과 외로움을 이해할 수 있게 되었다.

어머니와의 갈등을 힘들었던 시간들은 이제 아쉬움과 그리움이 되고 있다. 어머니가 돌아가신 후 우리 가족은 매년 4.3공원을 찾는다.

일곱 분의 억울한 희생자, 조상님들... 이름만 새겨져 있는 비석의 조상님들께 인사를 드린다. 영혼들이여, 편히 쉬소서...

나를 알게 되는 법

살다 보면 사람을 알게 되는 법

일하는 법도 경험하면 알게 되는법

공부도 해보니 어려움을 알게 되는 법

애 낳고 키워 보니 엄마의 소중함을

더 알게 되는 법

시간이 지나 보니 별일 아닌 것을

알게 되는 법

돈을 벌어보니 돈 버는 게 힘들다는 걸 알게 되는 법

법을 알아야 세상을 살아가게 되는 것인가?

욕심

나는 누구인가?

난 어떤 사람인가?

지금 무슨 생각을 하고 있는가?

지금 하고 싶은 일은 무엇인가?

나를 돌봐주고 싶어졌다.

그러기 위해서는 돈이 있어야 했다.

아이들, 집안일을 병행해야 한다.

난 할 수 있을까?

적은 수입이지만 일과 병행하고 있다.

만족하는가? 만족 못한다.

만약 여기서 욕심을 부리면 발생하는 문제는 나의 몫이 되는게 현실이다.

육아와 집안일...

나를 칭찬한다.

"넌 대단하고 멋진 사람이야!"

나의 이야기 1

삼 형제 중 둘째로 태어났다. 내가 태어나던 시기에는 남아선호사상이 매우 강했던 시기이다. 엄마는 언니를 낳고 둘째의 성별을 철학관에서 들었다. 아들! 엄마는 내심 기뻐했다고 한다. (이 시절에는 병원에서 아들, 딸을 구분 할 수 없었다)

그리고 난 태어났다. 딸이었다.

말씀은 안 하시지만 무척 서운해하셨을 것이다. 엄마는 둘째(나)를 데리고 공사장에서도 일하시고 땡볕으로 더운 밭에 데려갔다. 너무 여린 피부를 보호하지 못해서인가 난 피부가 남들보다 약했다. 남들이 좀 탔다 싶으면 난 화상을 입을 정도였다.

그것으로 인해 엄마는 내 피부 때문에 걱정을 많이 했다. 무더위가 계속되는 여름에는 매일 오이, 감자 마사지... 썬크림은 필수였지만 썬크림의 번지르르함이 싫었다.

엄마는 그걸 아는지 모르는지 썬크림을 듬뿍듬뿍 바르게 했다. 나의 어릴 적 사진의 얼굴은 늘 유광이다.

그래도 지금의 피부를 가질 수 있었던 건 엄마의 헌신적인 노력 때문이다.

낼모레 오십을 바라보는 나를 지금도 엄마는 걱정하신다.

고마워요. 엄마~!

나의 이야기 2

초등학교 시절 한 남학생이 나를 '딸기코'라고 놀렸다. 피부가 약한 탓에 햇빛을 조금만 쨰도 코가 빨개졌다. 이런 사정을 모르고 함부로 놀려대는 친구들 때문에 마음이 아팠다. 집으로 돌아와 엉엉 울었다.

가족들은 이런 마음을 달래주거나 공감해 주는 사람이 없었다.

아픈 나의 마음은 묵혀둬야만 했다.

20대 후반 나를 깊이 알아갈 수 있던 시간이었다. 바쁜 일상을 그냥 그냥 살아가던 나에게는 너무 의미 있는 시간이었다.

그때 알게 된 사실...

나의 어릴 적 아버지로 인해 아팠던 마음, 놀림당하여서 아팠던 마음 등 켜켜히 쌓아만 두었던 마음들의 나와 만나게 되었다.

나의 이야기3

묵혀뒀던 나의 마음은 작은 아이였다.

그 작은 아이는 어두운 방 한구석에 웅크려 앉아 있었다.

나는 가서 인사를 나누려고 했다.

하지만 그 아이는 큰 소리로 "싫어! 싫어!"를 연달아 외쳤다. 그 아이는 무서움에 떨고 있었다.

20대인 나... 나는 울고 있었다.

"싫어!", "싫어!"....

모든 게 싫었다.

나를 함부로 대했던 사람들

나에게 상처주는 말을 했던 사람들

그리고 이런 나를 외면했던 나를...

한참을 울고 나서 난 다시 나와 만났다.

용기를 내어 나를 안아준다.

미안해 나야, 미안해...

괜찮아 나야, 괜찮아...

사랑해 나야, 사랑해...

잔소리

한 달 전 엄마가 주신 카레를 먹으려 냉장고에서 꺼냈다. 상한 여부를 확인하고 냄비에서 끓였건만 막상 먹으려니 상한 듯한 맛이 났다. 아까웠지만 버려야 했다.

엄마가 낮에 놀러 오시고 버린 카레를 보고 말았다. 엄마의 잔소리가 시작됐다.

"이걸 어떻게 만들었는데 아까운 음식을 버리느냐고... 아직까지 안 먹으면 어떻게 해?, 다시는 만들어주지 않겠다!" 가져온 음식도 가져가 버리겠다고 하며 도로 챙기신다. 화가 많이 나셨다. 나도 기분이 안 좋았다. 내 사정도 들어보지 않고 일방적으로 화를 내며 말하는 엄마의 행동은 이해하기로 했지만, 말이 길어지자 기분이 좋지 않았다.

엄마는 "잔소리가 아니다. 너에게 득이 되는 얘기를 네가 잘못 듣고 화를 내는 거다. 나중에 엄마 죽고 나면 그때 가서 후회한다"라며 말씀하신다.

나도 그러고 싶지 않았다. 하지만 그러지 못했던 상황이 있었는데... 죄송했지만 엄마의 화를 내는 모습을 보니 기분이 상할 대로 상해졌다. 이때는 그냥 내가 말하지 않게 된다. 그러고는 당일 저녁 서로 미안하고 고맙고 사랑한다는 인사말을 주고받으며 상황은 종료된다.

엄마는 왜 이리 같은 문제 같은 상황을 반복하며 서로를 힘들게 해야만 할까?

엄마가 들려주셨던 이야기들이 생각난다.

엄마는 어릴적 대가족이 함께 살았다.

부모님은 농사일하러 다니기 바빴고 수돗물이 따로 없어서 바다에 가서 물도 떠와야하고 빨래도 어린 나이에 도맡아 했다고 한다.

어린 엄마는 집안일도 곧잘 했다고 한다.

특히 청소, 부모를 대신해 자신을 돌봐준 증조할머니는 엄마에게 마당부터 집안까지 쓸고 닦는걸 가르쳐 주셨다.

첫째였던 엄마는 잘했다. 증조할머니에게 늘 칭찬을 받았다고 한다. 칭찬은 그 행동을 강화했다. 그리고 다시 그 일을 더 잘하고 싶어졌다고 하셨다. 엄마는 하는 일마다 맏딸답게 완벽하게 해내려는 노력파

이다.

어릴 적 경험, 칭찬과 보상의 연관관계...

'착하다 착하다' 내가 어릴 적 가장 많이 들었던 말이다. 집안일을 조금만 해도 어른들은 나에게 "착하다 착하다" 칭찬해주셨다.

그래서인가 일을 한 후 칭찬이 없으면 뭔가 허전하다.

이런 마음은 결혼 후 더해갔다. 조금만 일을 해도 칭찬이 배로 들어오는 친청 식구들과는 반대로 칭찬을 공치사한다고 생각하는 시댁사람들... 아주 달랐다.

가끔 뉴스에서 성격 차이로 인해 연예인들이 이혼했다는 기사를 접하는데 이제는 이해가 간다.

시간이 약이라고 했던가?

결혼 16년차, 집안일은 웬만해서는 내 스스로 해결 한다.

제사도 혼자서 거뜬히 준비한다.

밭에 잡초를 매는일, 나무를 자르는일, 돌담을 쌓는일.. 난 만능일꾼이 되고 있다.

이렇게 일을 하다 지나가던 동네 사람들과 즐겁게 인사도 한다.

스스로 뭔가를 할 수 있다는 것에 대해 감사함을 가져본다.

남의 편

늘 말없이 내 곁에 있어 주는 내 남편을 사랑한다.

하지만 너무 말이 없는 게 문제다.

표현하지 않는 데 문제가 있다.

건강관리를 위해 운동을 한다.

정말 잘해서 존경스럽다.

하지만 운동시간에 늦는다며 가족 나들이를 갔을 때 일찍 서둘러서 와야 한다.

여유를 즐기기가 힘들다.

남편은 달리기도 잘하고 힘도 세니 아이들과 몸으로 잘 놀아준다. 아이들은 늘 아빠와 놀이시간을 예약하며 놀려고 한다.

하지만 아빠는 해야 할 일이 많다.

직장도 다니고 밭일도 보고 하다 보면

늦은 저녁 식사시간..

아이들은 약속을 안 지킨다며 하소연한다.

남의 편도 쉬고 싶다.

남의 편은 마지막 힘을 짜내며 약속을 지키려 노력하고 있다! 보드게임까지...

남편... 고마워요...

혼자가 아닌 나

혼자가 아닌 나

내가 좋아하는 노래 가수 서영은씨의

노래이다.

가사가 참 마음에 든다.

♪ ♬ ♪ 가끔 나 욕심이 많아서 울어야 했는지 몰라

행복은 늘 멀리 있을 때 커 보이는 ♪ ♬

듣다 보면 나의 이야기를 하는 것 같다.

넓게 생각하고 멀리 볼 줄 아는 내가 되길 바래본다. 막내가 일곱 살
이 되니 이런 여유가 생기는 것 같다. 예전보다 할 일이 많아진 일상이
긴하지만 할 만하다.

나를 사랑하는 내가 있기에 난 행복하다.

자연의 생명력

도심 속 전원마을 내가 사는 마을의 특징이다. 그 중에서 우리 집은 단독주택에 텃밭도 있다. 텃밭 중심으로만 밭을 정리한 탓에 나무들이 무척 울창하다.

모기 많고 할 일 많은 단독주택...

좋은 점이라면 사계절을 자연과 함께 사는 것 같다. 시어머니가 아끼던 텃밭은 이제는 나의 몫이 되었지만 싫지 않다. 힘든 일이 있을 때 잡초를 뽑으면 어느 순간 힘든 감정이 사라지고 있다. 화도 마찬가지이다.

어머니가 쓰러지는 몸을 이끌고 밭을 가고 싶었던 이유... 이제는 조금이나마 헤아릴 수 있다. 텃밭에는 100살이 다 되어가는 나무들이 있다. 전정시기를 놓치다 보니 넝쿨도 제법 자라나 이제는 코끼리 형상을 하고 있다.

행사에서 무료로 받아온 홍매화는 밭에 심었는데 한 뿌리에서 매실과 개복숭아 나무가 함께 자라고 있다. 이런걸 행운이라고 하나? 몸에 좋은 개복숭아를 매년 담아 이웃들과 나눈다.

요즘은 블루베리 농사도 함께 하고 있어서 무더운 여름철에는 블루베리 수확으로 여름이 어떻게 지나는지 모른다.

부지런히, 바쁘게... 너무 바빠서 아이들을 잘 키우고 있는 건지 반

성할 때도 있지만 있지만 현재까지 별 탈 없이 커 주는 아이들이 고맙기

만 하다. 자연과 함께 사는 나와 우리 가족 건강하고 행복하길...

날 개

초등학교 시절 담임선생님이 나의 행동평가에 대해 적어주셨던 일이 생각난다.

... 책임감은 있으나 주의가 산만함.

어릴적부터 호기심이 남달랐던 것 같다.

일상생활에서 난 모든게 궁금했다.

'왜 그렇게 되는거지?'

왕성한 호기심과 주의 산만함(?) 덕에 나는 다양한 경험을 해 보았다. 초등학교때는 웅변과 노래대회를 나갔다. 학원을 다닌 적은 없다. 해보고 싶은 마음이 발동해서이다. 고등학교 때는 연극동아리를 가입하여 극단활동까지 했다. 학생 신분이라 수입은 없었지만, 극단에서의 아동극 순회공연을 수차례 다녔고 전국 연극제에도 2회정도 참가하였다. 단역이든 주연이든 열정적으로 했다. 너무 재미있었다. 하지만 현실적인 문제로 난 연극을 관두게 되었다. 대학시절 노래자랑에서 일등이 되어 전국 무대에 서게 되었다. 처음 경험하는 일이라 긴장도 많이 했고 난 실수를 많이 했다. 같이 갔던 사람들에게는 미안했지만 아쉽지는 않았다.

최근에도 안전 관련 도대회에서 일등을 하며 전국대회까지 가게 되었는데 강의자료부터 연습까지 스스로 해야하는 부담감으로 육아와 집안일이 소홀해졌다.

안전강연대회의 전국무대는 사람들이 정말많았다. 제주에서 함께 응원을 가는 인원도 많아 부담이 되긴 했는데...

역시나 전국무대에서 나는 또 실수를 연달아 하게됐고 수상을 하지 못해 면목이 없었다. 하지만 잠시동안 이지만 날개를 펴고 훨훨 나는 기분이 들었다. 그걸로 만족한다. 좋은 경험이었다.

대회가 끝나고 다시 나의 자리로 돌아왔을 때 허전함은 잠시.. 난 또 반복되는 일상에서 바쁘게 지내다 보니 정신없었다.

아이들은 그동안 훌쩍 큰 것 같다. 첫째와 둘째는 아침에 스스로 일어나 학교갈 준비를 한다. 막내는 아직도 손이 좀 가긴 하지만 첫째와 둘째를 보며 대견스럽다.

대회 후 처음 갖는 치킨 파티!

아이들에게 그동안 대회준비로 신경을 못 쓴 거 같고 미안하다고 전했다. 하지만 아이들은 "괜찮아요. 엄마가 치킨을 사주니 됐어요."라고 한다. 너무 고마웠다. 그 뒤에는 아이들을 지켜주는 남편이 있기 때문이란 걸 잘 안다.

대회가 끝나 막내의 육아는 여전히 어렵긴 하지만 그래도 날 기다려주고 사랑하는 가족들이 있어 다시금 힘을 내게 한다.

아이들에게 말해주고 전하고 싶다.

"이번 경험을 통해 엄마는 큰 성장을 했고 이 시간은 너희들이 있어 더욱더 소중하고 빛날 수 있었어.

고마워!~ 윤이, 현이, 연이야~ 사랑해!~"

엄마에게

편지를 좋아하는 엄마에게 너무 오랜만에 편지를 써요. 어릴 적 나의 전부였던 울 엄마... 엄마 지난번 내가 엄마 잔소리가 싫다고 화를 냈지요?! 엄마는 잔소리가 아니라 너를 사랑하기 때문에 너 잘 되라고 하는 소리라고 했지만... 난 잔소리처럼 들린다고 하고요. 그러니 엄마는 "너 엄마 죽으면 엄마가 하던 말- 집 안 정리 잘하고 음식물 상하니 항상 정리 잘하라는 말 해줄 사람 없을거야! 그래서 그리울 수도 있을 거다" 하셨죠?!

맞는 말이긴 해요. 그런데요. 전 그런 엄마보다 그냥 나의 엄마라서 그리울 거예요.

어릴 적 엄마 품에서 자는 게 너무 좋았어요. 그 편안함은 어떤 명품 침대보다 더 편안했어요. 그리고 김치를 담그실 때 맛보라고 한쪽 떼

어주시던 그 정과 김치 맛!... 기억날 거예요. 그리고 엄마가 세상 누구보다 환하게 웃는 모습의 사진... 기억날 거예요.

그리고 내가 힘들 때 기쁠 때 가장 먼저 앞서서 도와주시던 분이시죠.

엄마는 저에게 부모이자 인생 선배이자 절친입니다. 그리고 엄마, 그거 아세요?!

이제 저도 세 딸아이의 엄마가 되니 아이들을 대하는 게 꼭 울 엄마처럼 할 때가 많더라구요. 한번 잔소리가 시작되면 딸들이 모두 "그만!"하며 귀를 막더라고요.

그런 모습을 보면 전 마음속으로 '앗!'하며 말을 멈추게 돼요.

어쩔 수 없나 봅니다. 엄마의 딸이라서..

편지를 보신 날 저에게 고맙다며 포근히 안아주던 지난날들이 기억나네요.

너무 좋았어요. 엄마에게 공감과 인정을 받는다는 느낌도 들었고요. 아마도 그런 기억들 때문에 저희 힘들었던 나날들을 견딜 수 있었던 것 같아요.

엄마, 이제는 혼자 해 볼게요. 부족한 솜씨지만 집안 살림도, 육아도... 엄마의 품을 기억하며 아이들에게 그 따스함이 전해질 수 있도록 포근히 안아주고 엄마의 든든한 딸이 될 수 있도록 노력해 볼게요.

엄마, 존경하고 사랑합니다~

엄마의 둘째 딸 도아 올림

나름 알게되는 법

발 행 | 2024년 07월 26일
저 자 | 도아
사진 | 김민경
표지사진 | 김민경
디자인 | 오은정
인권표현검수 | 이지민
바른우리말검수 | 이지민
후원 | 제주특별자치도, 제주문화예술재단
주관 | 서귀포 오아시스
미디어에디터 | 최인서
작품편집, 에이전트 | 박산솔, 이선경
펴낸이 | 한건희
펴낸곳 | 주식회사 부크크
출판사등록 | 2014.07.15.(제2014-16호)
주 소 | 서울 금천구 가산디지털1로 119, SK트윈타워 A동 305호
전 화 | 1670 – 8316
이메일 | info@bookk.co.kr

ISBN | 979-11-410-9746-2

www.bookk.co.kr

2024 엄마의 활주로 '함께육아에세이'의 취지에 맞게 작가의 감정 표현과
아이의 언어 표현을 지키는 방향으로 교정 교열 하였습니다.

본 책은 제주특별자치도와 제주문화예술재단의 후원을 받아 제작되었습니다.